der Notizblock

der Hummer

der Lastwagen

die Masken

das Skateboard

Mein erstes Buch

EIN TAG IN DER STADT

ISBN 3-8212-1559-3
© 1996 by XENOS Verlagsgesellschaft mbH
Am Hehsel 40, 22339 Hamburg
Übersetzung aus dem Englischen und Satz:
Olaf Hille Verlag GmbH, Hamburg
Copyright der englischen Ausgabe:
© 1995 Grandreams Ltd., London & Bath, England
Printed in China

das Denkmal

die Telefonzelle

der Busch

der Pfeil

die Pizza

der Gurkenkürbis

der Bogen

die Pistole

die Schaukel

das Bürohaus

die Fabrik

der Park

das Rathaus

das Flachdach

der Zebra-
streifen

der Eimer

das Polizeiauto

die Feuerwehr

die Zapfsäule

der Arbeiter

In der Stadt

der Unfall

das Hotel

der Lastwagen

das Motorrad

das Denkmal

das Taxi

die Autowaschanlage

die Tankstelle

Die Schulsachen

Alex und Jenni probieren ihre neue Schulkleidung an, die sie rechtzeitig zum neuen Schuljahr bekommen haben. Jenni hat sich auch einen Füller, Buntstifte, Schreibblocks und ein Lineal ausgesucht, aber Alex hat sich nur für seine neuen Fußballschuhe interessiert!

das Sporthemd

die Unterhose

die Socken

die Hose

der Gürtel

die Shorts

die Krawatte

der Schuhkarton

die Fußballschuhe

der Hocker

das Jackett

die Frühstücksdose

die Flasche

der Radiergummi

das Lineal

die Schultasche

die Buntstifte

das Tesafilm

blau

grün

rot

gelb

der Schlüpfer

die Schuhe

der Pullover

das Unterhemd

die Turnschuhe

die Schnürsenkel

die Sporttasche

die Strumpfhose

die Bluse

der Taschenrechner

der Rock

der Anspitzer

der Notizblock

der Zirkel

der Füller

der Buntstifthalter

die Filzschreiber

die Klemme

Im Supermarkt

Mama hat eine sehr lange
Einkaufsliste, deshalb geht
Papa mit zum Supermarkt,
um ihr beim Einkauf zu helfen.

der Einkaufswagen

die Milch

die Kartoffelchips

der Besen

der Kuchen

das Geld

das Kehrblech

die Einkaufstüte

der Korb

der Kringel

die Salami

die Würstchen

Waage

der Joghurt

das Fleisch

der Wein

die Butter

die Frühstücks-
flocken

die Dose

der Käse

die Pasteten

das Brot

der Schlachter

die Konserve

die Schokolade

der Orangensaft

die Süßigkeiten

die Pizza

die Verkäuferin

das Toilettenpapier

die Kuchen

die Eier

die Kasse

Die Zoohandlung

Großvater hat Alex mit zur Zoohandlung genommen, wo sie einen großen Beutel mit Sonnenblumensamen für Percy, den Papagei, gekauft haben. Alex wünscht sich einen kleinen Hund, du auch?

die Welpen

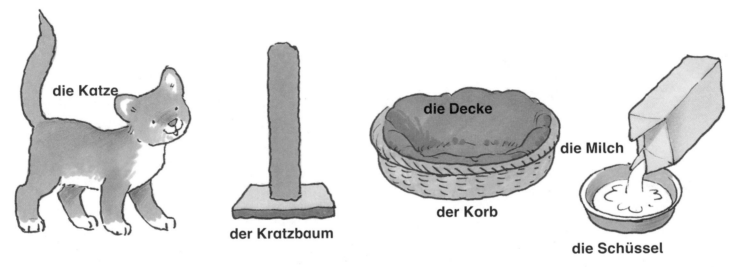

die Katze

der Kratzbaum

die Decke

der Korb

die Milch

die Schüssel

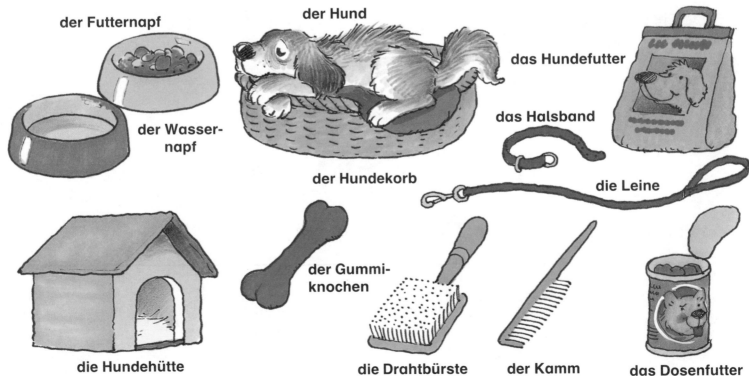

der Futternapf

der Wassernapf

der Hund

der Hundekorb

das Hundefutter

das Halsband

die Leine

die Hundehütte

der Gummiknochen

die Drahtbürste

der Kamm

das Dosenfutter

der Wellensittich

die Sitzstange

der Vogelkäfig

die Karotte

das Salatblatt

das Kaninchen

der Engelfisch

der Clownfisch

der Sand

die Koralle

das Aquarium

die Sumpfschildkröte

die Maus

der Hamster

die Streu

das Vogelhäuschen

das Laufrad

die Schildkröte

die Springmaus

der Papagei

„Ich wußte nicht, daß es
Wellensittiche in so vielen
verschiedenen Farben gibt.
Wußtest du das, Opa?"
fragt Alex.

Auf dem Markt

Großmutter und Jenni sind auf dem Markt. Jenni hat eine Pflanze für Mama ausgesucht, und Großmutter hat einen großen Blumenstrauß gekauft, weil er so gut roch.

der Busch

die Pflanze

die Pampelmuse   der Apfel

die Banane   die Erdbeere

die Rose

die Tulpe

die Osterglocke

der Blumenstrauß

die Lilie

die Trauben

die Apfelsine

die Melone

der Gurkenkürbis

der Krebs

die Ananas

der Kürbis

die Tomate

der Hummer

der Aal

die Zitrone

die Kartoffel

die Aubergine

die Gurke

die Scholle

der Kabeljau

die Birne

die Karotte

der Blumenkohl

der Salat

die Makrele

die Auster

die Erbsen

Das Einkaufszentrum

Endlich Mittagszeit! Alle haben ihre Einkäufe gemacht und treffen sich im Einkaufszentrum. Großvater und Alex kommen ein paar Minuten später, aber Papa sieht sie vom unteren Stockwerk winken.

die Toilette

der Fahrstuhl

die Rolltreppe

der Informations-schalter

das Telefon

die Werbeblätter

der Abfalleimer

der Kiosk

der Brunnen

das Wasserbecken

die Sitze

der Rollstuhl

Die Cafeteria

„Einkaufen macht mich immer sehr hungrig", sagt Jenni.
„Einverstanden", lacht Papa, „ich habe auch Hunger, laßt uns
etwas essen."

Dies bestellt Großmutter:

die gebackene Kartoffel

die Butter

der Sahnekuchen

der Tee

die Teebeutel

Großvater liebt Curry.

das Curry mit Reis

der Apfelkuchen

die Sahne

der Kaffee

der Zucker
der Löffel

Mama nimmt einen Salat.

der Salat

das Brötchen

das Obst

das Glas

das Mineralwasser

Papa sucht sich Spaghetti aus.

die Spaghetti

das Salz   der Pfeffer

der Rotwein

der Kuchen

Alex ißt immer Hamburger mit Pommes Frites.

der Strohhalm

der Hamburger

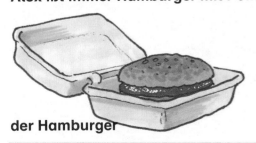
die Pommes Frites   der Ketchup

das Getränk

der Schokoriegel

Jenni ißt ihr Leibgericht...Pizza.

die Pizza

der Milchshake

das Eis

die Serviette

Das Spielzeuggeschäft

Alex hat zu seinem Geburtstag Geld geschenkt bekommen, deshalb geht er mit Großvater zum Spielzeuggeschäft, um es auszugeben. Großvater möchte, daß Alex das Segelboot kauft!

das Springseil

das Flugzeug

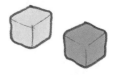

die Bauklötze

der Kohlenwagen

der Bus

die Burg

die Soldaten

das Boot

das Auto

die Puppe

das Space Shuttle

der Puppenwagen

das Spielzeugauto

das Dreirad

die Schiene

das Parkhaus

die Skates

der Modellbaukasten

der Elefant

der Stuhl **das Bett** **die Kommode** **das Skateboard**

der Ladentisch

die Giraffe

das Puppenhaus

der Trecker

die Möbel

der Bahnhof

der Eisenbahnwagen **die Lok**

das Segelboot

die Schreibmaschine

der Lastwagen

die Eisenbahn

das Rennauto

das Computerspiel **die Buchstaben** **die Handpuppe**

der Spielzeugbauernhof

der Pteranodon

das Skelett

der Dinosaurier

die Mumienhülle

die Mumie

die Schädel

das Kanu

die Ausstellungs-
vitrine

die Museums-
führerin

das Paddel

die Besucher

Das Museum und die Kunstgalerie

Papa schaut sich das Museum an, während Mama zur Kunstgalerie geht.

Ein Künstler fragt Mama, ob er sie malen dürfte. Das Bild ist ihr doch ähnlich, oder?

Hier sind einige Dinge, die du im Museum findest.

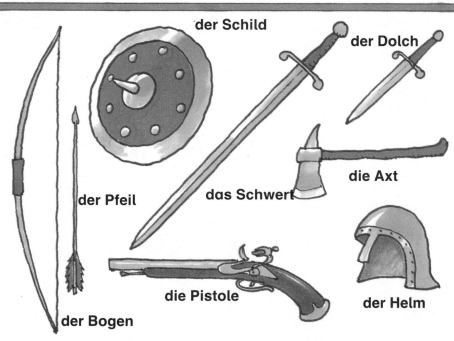

der Schild

der Dolch

der Pfeil

die Axt

das Schwert

die Pistole

der Helm

der Bogen

die Leinwand

das Gemälde

die Galerie

die Staffelei der Künstler die Palette

der Seemann

die Uniform

der Soldat

der Ritter

die Rüstung

der Andenkenladen

die Säule

der Aufseher

die Versteinerungen

die Statue

die Masken

die Münzen

die Schmetterlinge

das Insekt

die Kleider

die Medaillen

das Eichhörnchen

der Vogel

Im Park

Großmutter versprach Jenni, am Nachmittag mit ihr in den Park zu gehen.
„Ich möchte zu den Schaukeln und den Klettergerüsten" rief Jenni.
„Ich auch", kicherte Großmutter.

der Drachen

die Burg

die Rutsche

die Schaukel

das Karussell

das Segelschiff

der Maulkorb

der Hund

der Schwan

die Ente

die Hecke

die Hängebrücke

die Leiter

das Wasser

der Läufer

die Hinweis-schilder

das Frisbee

das Skateboard

der Mülleimer

der Baum

die Sitzbank

der Teich

das Klettergerüst

der Fußball

das Tor

die Rollschuhe

die Wolken

die Mauer

die Kinder

das Gras

der Fußweg

Das ist eine Liste
aller Wörter, die du
in diesem Buch
lernen kannst.

Aal
Abfalleimer
Abwasser-
rohre
Ampel
Ananas
Andenkenladen
Anspitzer
Apfel
Apfelkuchen
Apfelsine
Aquarium
Arbeiter
Aubergine
Aufseher
Ausstellungs-
vitrine
Auster
Auto
Autowasch-
anlage
Axt

Bagger
Bahnhof
Banane
Bauernhaus
Bauklötze
Baum
Besen
Besucher
Bett
Birne
blau
Blumenkohl
Blumenstrauß
Bluse
Bogen
Boot
Brot
Brötchen
Brunnen
Buchstaben
Buntstifte
Buntstifthalter
Burg
Bürohaus
Bus
Busch

Butter

Clownfisch
Computerspiel
Curry mit Reis

Decke
Denkmal
Dinosaurier
Dolch
Dose
Dosenfutter
Draht-
bürste
Dreirad

Eichhörnchen
Eier
Eimer
Einkaufstüte
Einkaufswagen
Eis
Eisenbahn
Eisenbahn-
wagen
Elefant
Engelfisch
Erbsen
Erdbeere

Fabrik
Fahrbahn
Fahrstuhl
Feuer
Feuerwehr
Filzschreiber
Fisch
Flachdach
Flasche
Fleisch
Flugzeug
Frühstücks-
dose
Frühstücks-
flocken
Füller
Fußballschuhe
Fußweg
Futternapf

Galerie
gebackene Kartoffel
gelb
Geld
Gemälde
Geschäft
Getränk
Giraffe
Glas
Glasdach
Grube
grün
Gummiknochen
Gurke
Gurkenkürbis
Gürtel

Halsband
Hamburger
Hamster
Handpuppe
Helm
Hocker
Hose
Hotel
Hummer
Hund
Hundefutter

Hundehütte
Hundekorb
Hütchen

Informations-
schalter
Insekt

Jackett
Joghurt

Kabeljau
Kaffee
Kamm
Kaninchen
Kanu
Karotte

Kartoffel
Kartoffel-
chips
Käse
Kasse
Katze
Kehrblech
Ketchup
Kiosk
Kleider
Klemme
Kohlen-
wagen
Kommode
Konserve
Koralle
Korb
Kratz-
baum
Krawatte
Krebs
Kringel
Kuchen
Künstler
Kürbis

Ladentisch
Lastwagen
Laufrad
Leine
Leinwand
Lilie
Lineal
Löffel
Lok

Makrele
Maske
Masken
Maus
Medaillen
Melone
Milch
Milchshake
Mineral-
wasser
Möbel
Modellbau-
kasten
Motorrad
Mumie
Mumienhülle